登場人物紹介《とうじょうじんぶつしょうかい》

姉《あね》…及川《おいかわ》ナリコ

中学《ちゅうがく》２年生《ねんせい》。本《ほん》が大好《だいす》きで活動的《かつどうてき》な女《おんな》の子《こ》。夏休《なつやす》みの自由研究《じゆうけんきゅう》で弟《おとうと》のリョウとヤブシタ･アニメーション研究所《けんきゅうしょ》を訪《おとず》れている。ニックネームはオイナリ。おこると怖《こわ》い。

弟《おとうと》…及川《おいかわ》リョウ

小学《しょうがく》５年生《ねんせい》。サッカーが大好《だいす》きな男《おとこ》の子《こ》。
なんでも元気《げんき》に質問《しつもん》する。
ナリコにおこられてもめげない。

ヤブシタ博士《はかせ》

白《しろ》いヒゲがトレードマークのアニメーション研究家《けんきゅうか》。
アニメーションの歴史《れきし》にもくわしい。
博士《はかせ》の研究所《けんきゅうしょ》はふしぎなものでいっぱい。

タマコ

白《しろ》い毛並《けな》みにクロブチの日本《にほん》ネコ。
博士《はかせ》の助手《じょしゅ》？　人の言葉《ことば》がわかる…らしい。
twittamako（ツイッタマコ）でつぶやくのが趣味《しゅみ》。

マンガで探検《たんけん》！

アニメーションのひみつ 2

フェナキスティスコープをつくろう

監修《かんしゅう》　大塚《おおつか》 康生《やすお》
Director: OTSUKA Yasuo

編著《へんちょ》　叶《かのう》 精二《せいじ》
Author: KANOH Seiji

漫画《まんが》　田川《たがわ》 聡一《そういち》
Manga Artist: TAGAWA Soichi

フェナキスティスコープ画《が》　わたなべさちよ・和田《わだ》 敏克《としかつ》
Animators: WATANABE Sachiyo, WADA Toshikatsu

もくじ

このソーマトロープを……
表《おもて》
よくねじって
裏《うら》
回《まわ》すっ!!
第《だい》3ステージ
たまごからヒヨコ?
動《うご》きをつくり出《だ》すひみつ
このソーマトロープはいままでのものとはちがっているんじゃが……
どこがちがうかわかるかな?
う〜ん……
いままでのものは表《おもて》と裏《うら》が重《かさ》なって1枚《まい》の止《と》まった絵《え》になっていたけれど
これは動《うご》いているように見《み》えます!
ナリコ君《くん》ご名答《めいとう》じゃ!
これまでのソーマトロープは表《おもて》と裏《うら》の2枚《まい》の絵《え》を合成《ごうせい》させたものじゃがこのなわとびの絵《え》は2枚《まい》の動《うご》きを重《かさ》ねてその間《あいだ》の動《うご》きをつくっておる……つまり、動画《どうが》じゃな

表裏《おもてうら》でちょっとだけちがう絵《え》を、ピタッと重《かさ》なる位置《いち》に貼《は》るのがソーマトロープ動画《どうが》のコツじゃ

博士《はかせ》の助手《じょしゅ》は楽《らく》じゃニャいけど、2巻《かん》でもがんばるニャー。ネコの眼《め》で時計《とけい》を読《よ》むのはたいへんニャ

第3ステージでは、動《うご》きをたくさんの絵《え》で分解《ぶんかい》して再生《さいせい》するおもちゃを紹介《しょうかい》するぞ。お楽《たの》しみじゃ

(※注《ちゅう》1)
古川《ふるかわ》タクさんの短編《たんぺん》アニメーション『驚《おどろ》き盤《ばん》』(1975年《ねん》)から、日本《にほん》でこの言葉《ことば》が広《ひろ》まったのじゃ

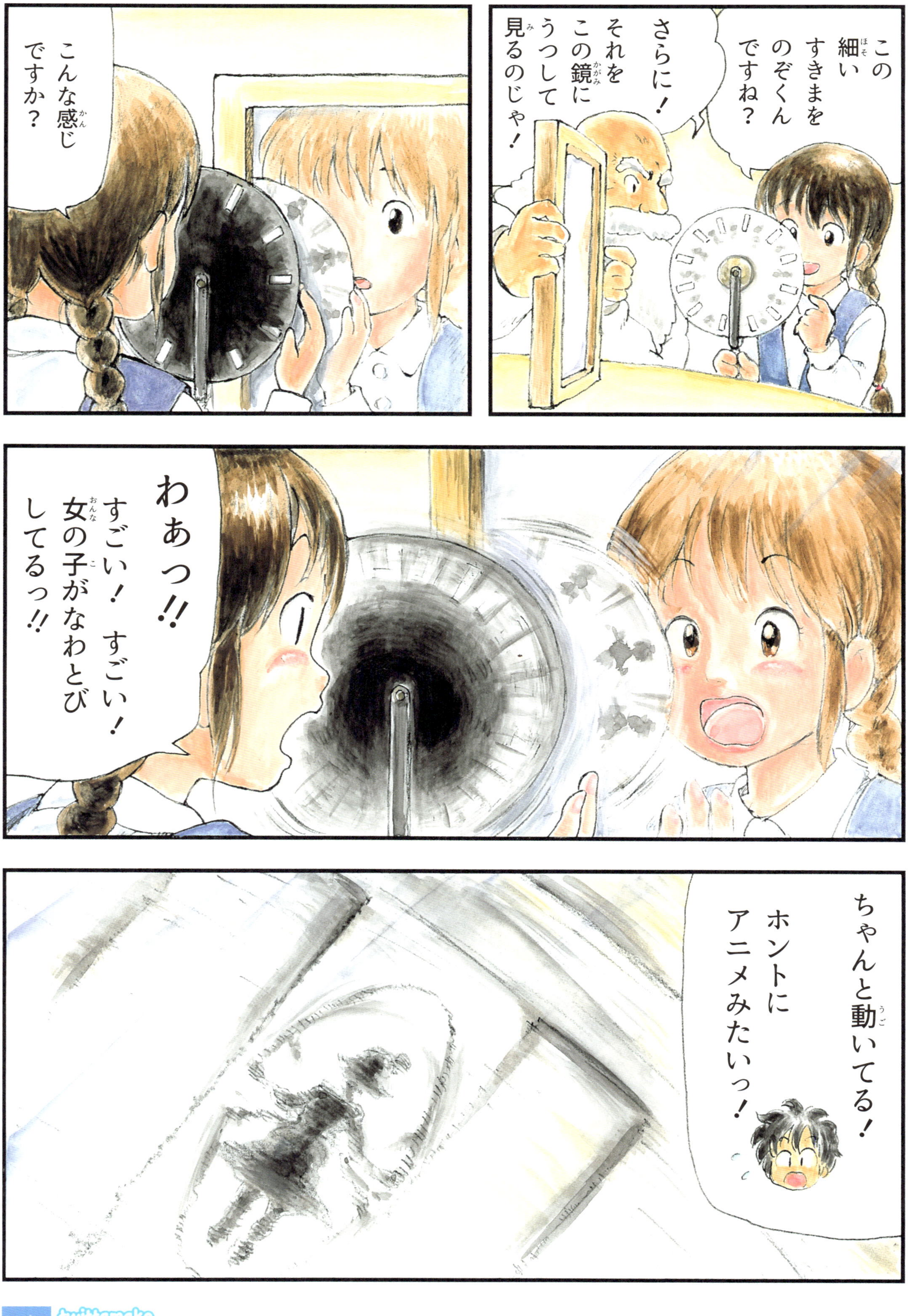

twittamako
じつは、ネコの眼《め》は人間《にんげん》の眼《め》では見分《みわ》けられない早《はや》い点滅《てんめつ》を見分《みわ》けることができるのだニャー

twittamako
ネコの眼《め》だと「間欠運動《かんけつうんどう》」だってちがって見《み》えるニャ。どう見《み》えるのかって？ それはネコに聞《き》いてみてニャ

仮現運動《かげんうんどう》ってなに？

動《うご》きをつくり出《だ》す脳《のう》のふしぎ

「フェナキスティスコープの絵《え》が動《うご》いて見《み》えるのも、残像《ざんぞう》のせいなのでしょうか」

「残像《ざんぞう》というのは、一瞬前《いっしゅんまえ》に見《み》た光《ひかり》や画像《がぞう》の刺激《しげき》が網膜《もうまく》に残《のこ》ってしまう現象《げんしょう》じゃ。もし原因《げんいん》が残像《ざんぞう》だとすると、ソーマトロープのように前《まえ》に見《み》た絵《え》がつぎの絵《え》に合成《ごうせい》されてしまって、いつも二重映《にじゅううつ》しになってしまう……それでは動《うご》きがぼやけてはっきりと見《み》えないのではないかな？」

「ああっ！　たしかに全部《ぜんぶ》2枚《まい》ずつ重《かさ》なっていたら、かえって動《うご》きがわかりにくいかも……」

「じつはフェナキスティスコープの絵《え》が動《うご》いて見《み》える原理《げんり》は、映画《えいが》やアニメーションと同《おな》じなのじゃ。1枚《まい》1枚《まい》は静止《せいし》した絵《え》なのに、なぜか連続《れんぞく》して見《み》ると動《うご》いているように見《み》えてしまう。その理由《りゆう》はまだ完全《かんぜん》にはわかっていないのじゃ。残像《ざんぞう》も動《うご》きをつなげることになんらかの関係《かんけい》があるのかもしれんのじゃが、それが決《き》め手《て》でないことはたしかじゃ」

「えーっ?!　肝心《かんじん》なことなのに博士《はかせ》にもわかんないのぉ？」

「リョウ！　失礼《しつれい》よ！」

「ははは っ……まいったなぁ。完全《かんぜん》に解《と》き明《あ》かすことはできないのじゃが、動《うご》きを認識《にんしき》する脳《のう》のはたらきが深《ふか》く関係《かんけい》しているということまではわかっておる。具体的《ぐたいてき》には「仮現運動《かげんうんどう》」と言《い》うんじゃが……」

「またむずかしそうなナントカ運動《うんどう》、きたっ！」

「あんたは少《すこ》しだまってなさい！」

「はいはいっ……と」

「まぁまぁ……基本《きほん》のしくみはそんなにむずかしくはないぞ。よいしょっと。この装置《そうち》を使《つか》ってみよう」

「信号《しんごう》……ですか？」

「似《に》たようなものじゃ。この装置《そうち》のランプは右《みぎ》も左《ひだり》も赤《あか》で、交互《こうご》に点滅《てんめつ》するようになっておる。では、スイッチを入《い》れるぞ」

「踏切《ふみきり》みたい！　目《め》がチカチカする！」

「だんだん赤《あか》い点滅《てんめつ》が速《はや》くなるぞ。…ランプが右《みぎ》から左《ひだり》に動《うご》いたように見《み》えないかね？」

「ああっ、たしかにランプが移動《いどう》しているように見《み》えます！」

「うん！　ランプの瞬間移動《しゅんかんいどう》みたいっ！」

「そうじゃろう。でも何《なに》かおかしいとは思《おも》わんかね？」

「えっ？」

「ランプは実際《じっさい》には動《うご》いておらん。右《みぎ》と左《ひだり》が交互《こうご》に点《つ》いたり消《き》えたりしただけじゃ」

「うん、たしかに！　でも動《うご》いて見《み》えた…」

「なぜ…？」

「人間《にんげん》の脳《のう》は、一定《いってい》の条件《じょうけん》がそろうと、ふたつの止《と》まっている物《もの》の間《あいだ》の動《うご》きをつなげてしまうと言《い》われておる。脳《のう》が仮想《かそう》の運動《うんどう》をつくり出《だ》してしまうのじゃ。つまり、脳《のう》のなかに現《あら》われた仮想《かそう》の運動《うんどう》、それが仮現運動《かげんうんどう》じゃ」

「かげんうんどう……止《と》まっているものが動《うご》いて見《み》える……」

「仮現運動《かげんうんどう》は、絵《え》や光《ひかり》の刺激《しげき》が一定間隔《いっていかんかく》でつぎつぎに置《お》き換《か》わること、その間《あいだ》が欠《か》けていること……などが条件《じょうけん》となる。ほんの一瞬《いっしゅん》、光《ひかり》や絵《え》が欠《か》けることで、脳《のう》がその欠《か》けている間《あいだ》をうめる動《うご》きをつくり出《だ》すというわけじゃ」

「うーん。よくわからないけど、夜《よる》の踏切《ふみきり》のほうがランプがよけいに動《うご》いて見《み》えるってこと？」

「おおっ、それはそうかもしれないなぁ。すごいぞ、リョウ君《くん》」

「姉《ねえ》ちゃん、聞《き》いた？　ちゃんと聞《き》いてるのがわかったか！」

「はいはい。あっ！　だから、フェナキスティスコープは裏《うら》が黒《くろ》くて、等間隔《とうかんかく》にスリットがあるんですね！」

「そう！　ナリコ君《くん》もすごいのう。リョウ君《くん》の言《い》う通《とお》り、夜《よる》の踏切《ふみきり》じゃよ。しかも、フェナキスティスコープは速《はや》く回《まわ》すほど、なめらかに動《うご》いて見《み》えるじゃろう？」

「はい。ランプの点滅《てんめつ》も速《はや》いほうがより動《うご》いて見《み》えました」

「しかし、点滅《てんめつ》があまりに速《はや》すぎると今度《こんど》は両方《りょうほう》のランプがつきっぱなしに見《み》えてしまうのじゃ。蛍光灯《けいこうとう》もほんとうは点滅《てんめつ》しているのじゃが、そうは見《み》えないじゃろう？」

「えーっ」

「蛍光灯《けいこうとう》が1秒間《びょうかん》に点滅《てんめつ》する回数《かいすう》は、東日《ひがしに》本《ほん》が100回《かい》で西日本《にしにほん》が120回《かい》じゃ。そこまで速《はや》いと点滅《てんめつ》を認識《にんしき》できないのじゃ。つまり、点《てん》滅《めつ》の速度《そくど》も仮現運動《かげんうんどう》の大事《だいじ》な条件《じょうけん》なのじゃ」

「天井《てんじょう》の蛍光灯《けいこうとう》が点滅《てんめつ》？…うーん、じっと見《み》ても目《め》が痛《いた》くてわかんないや」

「速《はや》すぎても遅《おそ》すぎても動《うご》いて見《み》えないんですね…かんたんそうでむずかしい」

「じつは仮現運動《かげんうんどう》についてわかってきたのは1912年以降《ねんいこう》で、フェナキスティスコープがつくられた1830年代《ねんだい》にはまったく知《し》られていなかったはずなのじゃ」

「理論《りろん》よりもおもちゃのほうが先《さき》だったんですか？」

「そういうことになるかのう。ただ、計算《けいさん》によって正確《せいかく》な**間欠運動**《かんけつうんどう》になっていたからきちんと動《うご》いて見《み》えた、ということはたしかじゃ。スリットの位置《いち》や大《おお》きさがバラバラだとなめらかに動《うご》かないのじゃ」

「へえっ、このオモチャえらい！」

博士《はかせ》のもう一言《ひとこと》！

約《やく》200年前《ねんまえ》に発売《はつばい》された玩具《がんぐ》じゃ

ベルギーの物理学者《ぶつりがくしゃ》ジョセフ・プラトー（1801〜1883年《ねん》）が、ソーマトロープの発展形《はってんけい》としてつくり出《だ》し、1833年《ねん》に発売《はつばい》されたのがフェナキスティスコープじゃ。円盤《えんばん》を固定《こてい》させるフレーム、持《も》ち手《て》、スリット（すきま）のあいた黒《くろ》い円盤《えんばん》、そして絵《え》を描《か》いた円盤《えんばん》がワンセットとして箱《はこ》につめられ、玩具《がんぐ》（おもちゃ）として売《う》られていたようじゃ。円盤《えんばん》は交換《こうかん》できるしくみになっていて、さまざまな絵柄《えがら》の円盤《えんばん》がべつに売《う》られていたそうじゃ。いまのゲームソフトのアプリケーションやカートリッジのようなものじゃな。

フェナキスティスコープはよく売《う》れたそうじゃが、プラトーはのちに残像《ざんぞう》の研究《けんきゅう》に夢中《むちゅう》になるあまり、太陽《たいよう》を25秒間《びょうかん》見《み》つめる実験《じっけん》を行《おこな》い、失明《しつめい》してしまったそうじゃ。

なお、オーストリアの数学者《すうがくしゃ》ジモン・シュタンパー（1792〜1864年《ねん》）は首都《しゅと》ウィーンで、ほぼ同時《どうじ》期《き》に同《おな》じような装《そう》置《ち》を開発《かいはつ》したとされておる。こちらは「ストロボスコープ」と呼《よ》ばれたそうじゃ。

twittamako

フェナキスティスコープなど、絵《え》が動《うご》いて見《み》えるオモチャのことをまとめて「視覚玩具《しかくがんぐ》」というニャ

博士《はかせ》のもう一言《ひとこと》！

フェナキスティスコープの改良型《かいりょうがた》が「ヘリオシネグラフ」じゃ。1850年頃《ねんころ》、オーストリアの砲術家《ほうじゅつか》で発明家《はつめいか》のフランツ・フォン・ウハティウス（1811〜1881年《ねん》）が開発《かいはつ》したと言《い》われておる。

鏡《かがみ》の代《か》わりに図版《ずはん》と黒版《こくばん》の2枚《まい》の円盤《えんばん》を重《かさ》ね、同時《どうじ》に回《まわ》すことで動画《どうが》を見《み》ることができる便利《べんり》なおもちゃじゃ。2枚《まい》の円盤《えんばん》は逆方向《ぎゃくほうこう》に回《まわ》すという商品説明《しょうひんせつめい》もあったようじゃが、同《おな》じ方向《ほうこう》に回《まわ》しても動《うご》いて見《み》えることに変《か》わりはないようじゃ。

twittamako
上《うえ》の円盤《えんばん》の絵柄《えがら》は赤《あか》い惑星《わくせい》の満《み》ち欠《か》けを描《か》いたものだニャ

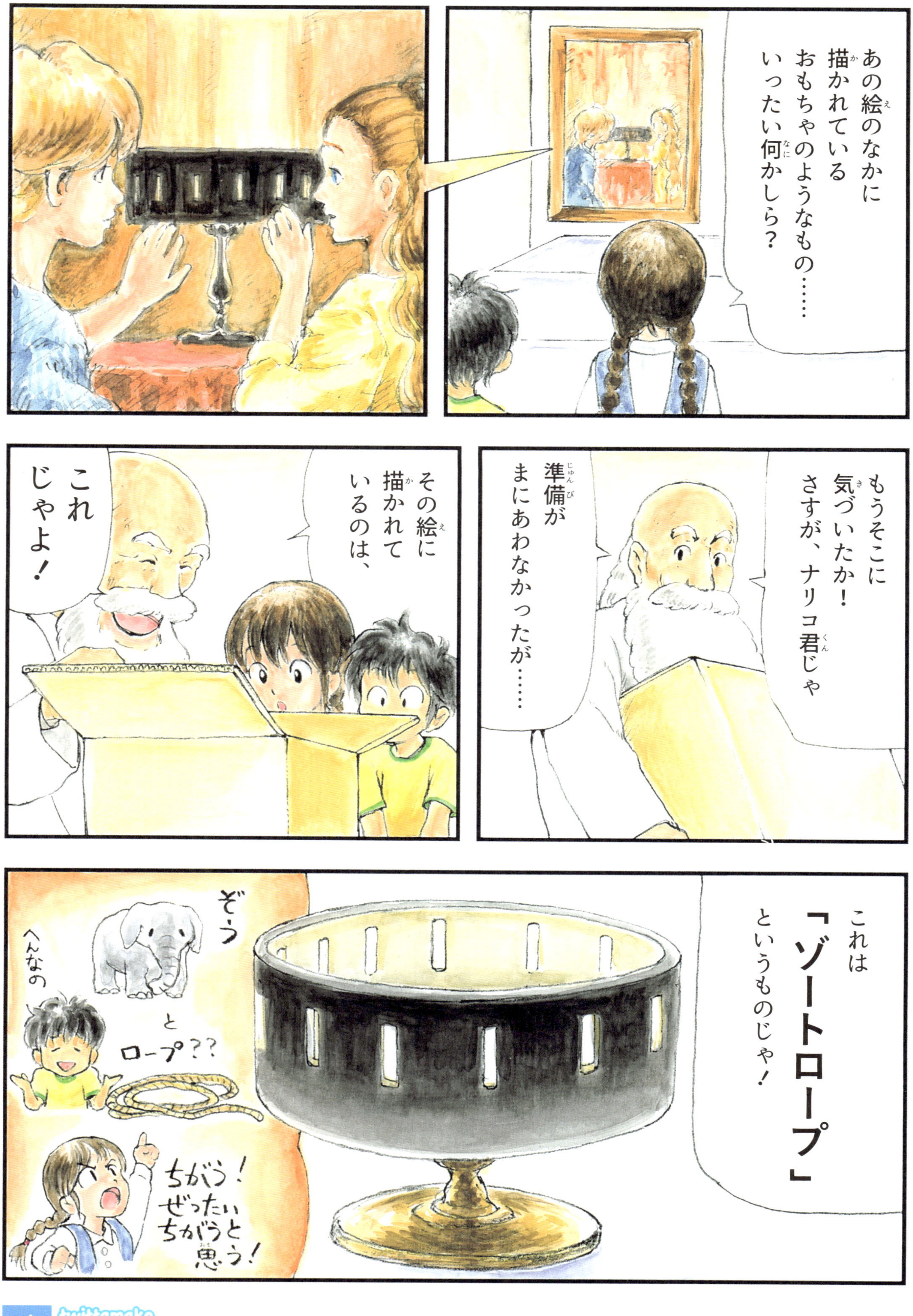
あの絵《え》のなかに描《か》かれているおもちゃのようなもの……いったい何《なに》かしら？
もうそこに気《き》づいたか！さすが、ナリコ君《くん》じゃ
準備《じゅんび》がまにあわなかったが……
その絵《え》に描《か》かれているのは、
これじゃよ！
これは「ゾートロープ」というものじゃ！
ぞう
と
ロープ？？
へんなの
ちがう！ぜったいちがうと思《おも》う！

twittamako

ゾートロープにはいろんな形《かたち》があって、スリット(すきま)の数《かず》や形《かたち》がちがうものもあるニャ

twittamako

ゾートロープのつくり方《かた》や動《うご》く絵《え》の描《か》き方《かた》は、3巻《かん》でくわしく説明《せつめい》するから楽《たの》しみに待《ま》っていてニャ

ゾートロープってどういう意味《いみ》？

「ゾウとロープ！　ゾウのロープ！
ゾウがロープ!!　ギャハハ」

「リョウうるさい！　ヘンなツボにはまってないで、静《しず》かにして！」

「リョウ君《くん》の思《おも》いつきはとてもおもしろいんじゃが、ゾートロープの語源《ごげん》は残念《ざんねん》ながらゾウとロープではないんじゃ」

「なぁんだ、そうなのか…」

「あたりまえでしょ！　もうよけいなことばっかり言《い》わないの！」

「まぁまぁ……いいかね、ゾートロープは、ギリシャ語《ご》で生命《せいめい》を意味《いみ》する「ゾーエー」と回転《かいてん》を意味《いみ》する「トロープ」を組《く》みあわせてつくった言葉《ことば》じゃ。「生《せい》命《めい》の輪《わ》」とか「生《い》きている輪《わ》」という意味《いみ》になるかのう」

「また生命《せいめい》に関《かか》わりのある言葉《ことば》が出《で》てきましたね」

「ゾートロープの意味《いみ》も、根《ね》っこは「生命《せいめい》をふきこむ」というアニメーションの語源《ごげん》にとても近《ちか》いのじゃ」

「うーん……輪《わ》っかが生《い》きてるってどういう意《い》味《み》？」

「生《い》きものでないはずの絵《え》の輪《わ》が、回《まわ》すと生《い》きているように見《み》えるということじゃよ。さっそくやってみよう」

ZOETROPE
ゾートロープ
PHENAKISTISCOPE
フェナキスティスコープ
THAUMATROPE
ソーマトロープ

博士《はかせ》のもう一言《ひとこと》！

くわっ

ゾートロープはすごい発明《はつめい》なのじゃ

ゾートロープは、プラトーのフェナキスティスコープ（→9ページ）に刺激《しげき》を受《う》けたイギリスの数学者《すうがくしゃ》ウィリアム・ジョージ・ホーナー（1786～1837年《ねん》）が1834年《ねん》に発明《はつめい》したと言《い》われておる。ホーナーは、ギリシャ神《しん》話《わ》に登場《とうじょう》する発明家《はつめいか》「ダイダロス」になぞらえて「ディーダリウム」と呼《よ》んだそうじゃ。

この円筒型《えんとうがた》の「のぞき器《き》」は、ループになった絵柄《えがら》の交換《こうかん》がかんたんで、まわりの人《ひと》がいっしょに動画《どうが》を見《み》ることができる。このゾートロープの誕生《たんじょう》が映画《えいが》やアニメーションの歴史《れきし》のスタートだと記《しる》す研究者《けんきゅうしゃ》もいるようじゃ。

ゾートロープはいまも進化中《しんかちゅう》で、「立体《りったい》ゾートロープ」といわれる新型《しんがた》も登場《とうじょう》しておる。その代表《だいひょう》が東京都《とうきょうと》の「三鷹《みたか》の森《もり》ジブリ美術館《びじゅつかん》」に展示《てんじ》されている「トトロぴょんぴょん」じゃ。このゾートロープには、円形《えんけい》の台座《だいざ》の上《うえ》にポーズを少《すこ》しずつ変《か》えたたくさんの人形《にんぎょう》が並《なら》べられておる。その台座《だいざ》が回転《かいてん》するのと同時《どうじ》に光《ひかり》が点滅《てんめつ》する。回転《かいてん》と点滅《てんめつ》が重《かさ》なることで仮現運動《かげんうんどう》が生《しょう》じ、動《うご》いて見《み》えるというしくみじゃ。スリットからのぞかなくても、人形《にんぎょう》がまるで生《い》きているように見《み》えるという、ふしぎな瞬間《しゅんかん》が体験《たいけん》できるぞ。

ジャーーン！
ゾートロープのなかには連続《れんぞく》した絵《え》を入《い》れるのじゃ
こうして帯状《おびじょう》のものをループ（輪《わ》）にして……

いままででいちばん完成《かんせい》されたおもちゃという感《かん》じね
動《うご》いたっ！ ネコが走《はし》ってる！

ゾートロープを知《し》るところまでで第《だい》3ステージは終了《しゅうりょう》じゃな
おーーい
ちょっとこっちへ戻《もど》って来《き》ておくれ

ZOETROPE《ゾートロープ》は「ゾーイトロープ」とも読《よ》むのじゃ。「ZOE」は英語《えいご》の「ZOO（動物園《どうぶつえん》）」と同《おな》じ語源《ごげん》じゃ

ソーマトロープのつくり方《かた》は1巻《かん》にくわしく載《の》っているので、読《よ》んでニャ。ではまた、3巻《かん》で会《あ》おうニャ!

動《うご》きを分解《ぶんかい》して描《か》くってどういうこと？

動《うご》きの「はじまり」と「おわり」の間《あいだ》はどうすれば？

「できたっ！　博士《はかせ》っ、ぼくのソーマトロープ見《み》てっ！」

「おっ、さっそくできあがったようじゃな。どれどれ……」

「表《おもて》がティラノサウルス。裏《うら》が炎《ほのお》。回《まわ》すと……火《ひ》をはくティラノ！」

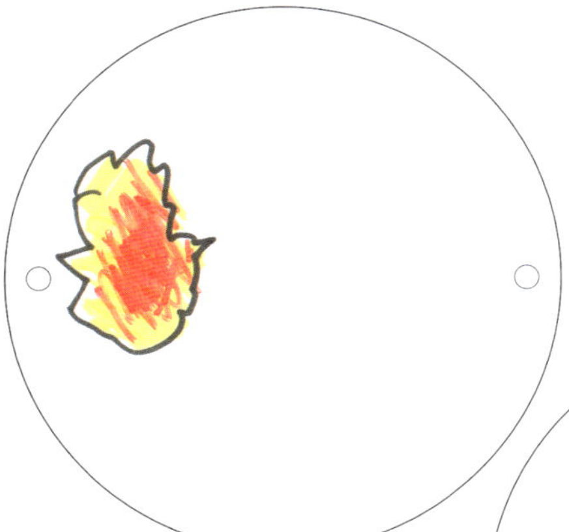

「それ怪獣《かいじゅう》でしょ！　ほんとうの恐竜《きょうりゅう》は火《ひ》なんかはかないの！」

「えっ？　そうなの？」

「ははは……それはそうじゃが、とても上手《じょうず》に描《か》けているし、いい作品《さくひん》じゃよ」

「それみろ！　姉《ねえ》ちゃんなんてまだなんもできてないじゃん！」

「いま、いろいろ考《かん》えてるの！」

「博士《はかせ》……絵《え》の描《か》き方《かた》について、ちょっとお聞《き》きしてもいいですか？」

「もちろん、いいとも。なんでも聞《き》いてごらん」

「フェナキスティスコープやゾートロープは絵《え》が何枚《なんまい》も重《かさ》なって見《み》えることで動《うご》きだす装置《そうち》ですよね。私《わたし》はウサギがはねる作品《さくひん》をつくりたくって、「はじまりの絵《え》」と「おわりの絵《え》」を描《か》いてみたんですが、その2枚《まい》の間《あいだ》の絵《え》をどうやって描《か》いていいのかがわからないんです……」

「なるほど！　それはたしかに説明不足《せつめいぶそく》じゃったな。すまん、すまん。描《か》き方《かた》についてもちゃんと話《はな》そう」

「お願《ねが》いします！」

「仮《かり》にフェナキスティスコープやゾートロープでつくり出《だ》す動《うご》きが、1秒間《びょうかん》の動《うご》きのくりかえしだとしよう。そうすると、その1秒間《びょうかん》で見《み》える動《うご》きの変化《へんか》を、円盤《えんばん》やループ（輪《わ》）に描《か》く絵《え》の数《かず》で分解《ぶんかい》しなければならないのじゃ。ナリコ君《くん》が描《か》いた「はじまりの絵《え》」と「おわりの絵《え》」の間《あいだ》を必要《ひつよう》な絵《え》の数《かず》……、8枚《まい》や12枚《まい》で分解《ぶんかい》して描《か》く。つまり8分《ぶん》の1秒《びょう》、12分《ぶん》の1

秒分《びょうぶん》の絵《え》を描《か》く、ということなんじゃ」

「はじまりの絵《え》とおわりの絵《え》の2枚《まい》だけでいいじゃん。なんでわざわざ間《あいだ》を分解《ぶんかい》するの？　分数《ぶんすう》キライだし。話《はなし》がよくわかんないし」

「もちろん、ソーマトロープのように2枚《まい》だけでも動《うご》きはつくれるんじゃが、フェナキスティスコープやゾートロープの場合《ばあい》は間《あいだ》がないと動《うご》きの幅《はば》が速《はや》すぎて見《み》えにくいと思《おも》うぞ」

「ぼくは超高速《ちょうこうそく》がいいし！　そのほうがカッコイイし！」

「動《うご》きを分割《ぶんかつ》して描《か》く……うーん、でもどうやって間《あいだ》の動《うご》きを考《かんが》えたらいいんでしょうか……」

「こりゃまた、すまん！　話《はなし》を急《いそ》ぎすぎたようじゃ。さっきの縄跳《なわと》びのようなごくかんたんな動《うご》きなら、「はじまりのポーズ」と「おわりのポーズ」の間《あいだ》を、入《い》れる絵《え》の数《かず》で均等《きんとう》に割《わ》ればいいんじゃ…」

「そうか！　縄《なわ》の動《うご》きと跳《と》んでいる身体《からだ》の上《じょう》下《げ》の動《うご》きをきちんと割《わ》って描《か》けばいいんですね」

「そうじゃ。丸《まる》いケーキやピザを切《き》るみたいに、動《うご》きを同《おな》じ幅《はば》で切《き》りわけるのじゃ。しかし動物《どうぶつ》がはねたり走《はし》ったりするような、もっと複雑《ふくざつ》な動《うご》きだとそうもいかないんじゃよ」

「ケーキ？　ピザ？　お腹《なか》すいてきたっ！」

「食《た》べものは「たとえ」のお話《はなし》なの！」

「なんだ、そうなのか」

「縄跳《なわと》びの縄《なわ》みたいに手足《てあし》の動《うご》きを割《わ》るだけだと、ロボットのウサギみたいになっちゃうのかしら……うーん、やっぱりむずかしい」

「そうじゃなぁ……では、ちょっとした実験《じっけん》をしてみよう！」

どんなポーズの絵《え》を何枚《なんまい》はさめばいいの？

「これはさっきのゾートロープのなかに入《はい》っていたループ（輪《わ》）の「ネコの走《はし》り」を4種類のポーズに分解《ぶんかい》したカードじゃ」

「わぁ！　こうして見《み》るととても上手《じょうず》に動《うご》きが分解《ぶんかい》された絵《え》だったんですね！　動《うご》きを割《わ》って描《か》くってこういうことだったんだ……」

ポーズ1
ポーズ2
ポーズ3
ポーズ4

「いやぁ、先《さき》にこれを見《み》せるべきじゃった。一目瞭然《いちもくりょうぜん》とはこのことじゃな」

「リョウ…ぜん？」

「お話《はなし》で聞《き》くよりも、見《み》たほうが早《はや》いということよ」

「ここに同《おな》じ絵《え》のカードがたくさんあるから、12枚《まい》選んで並《なら》べて好きな動《うご》きをつくってごらん」

「かんたんだし！　4枚《まい》で走《はし》るんだから、4枚《まい》ずつ3回走《かいはし》らせれば、4×3＝12枚《まい》だし！　九九は得意《とくい》だし！」

「博士《はかせ》がおっしゃったようにそれじゃ動《うご》きが速《はや》すぎるんじゃないかな。私《わたし》は3枚《まい》ずつ同《おな》じポーズを並《なら》べてみよう……」

「並《なら》べおわったら、それを貼《は》り合《あ》わせてゾートロープ用《よう》のループ（輪《わ》）をつくってごらん」

「できました！」

「それじゃあ、それぞれゾートロープに入《い》れて回《まわ》して見《み》てみよう。さて、どんな動《うご》きになるかな？」

「超速《ちょうはや》いっ！　ネコがチータみたいに速《はや》くてカッコイイっ！」

リョウの並《なら》べたループ

4
3
2
1
4
3
2
1
4
3
2
1

ナリコの並《なら》べたループ

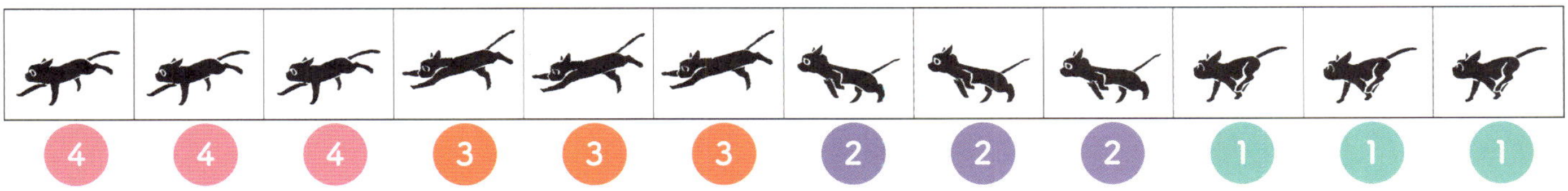

「それ、やっぱり速《はや》すぎて足《あし》が見《み》えないじゃない！　ネコはそんなふうに走《はし》らないよ」

「アニメなんだから、カッコいいのがいいの！」

「ほらっ、こっちのほうがちゃんと走《はし》ってるように見《み》えるもん！」

「これ、遅《おそ》くない？」

「私《わたし》はこれでも速《はや》いような気がするけど……でも、さっき見《み》たお手本《てほん》の動《うご》きとは何《なに》かがちがう……」

「ポーズの並《なら》べ方《かた》や間《あいだ》の枚数《まいすう》で走《はし》る速《はや》さや動《うご》きの感《かん》じが変《か》わるのがわかったじゃろう？」

「はいっ！」

「これがさっきふたりが回《まわ》していたゾートロープのお手本《てほん》のループじゃ。よく見《み》てから回《まわ》してごらん」

「ああっ！　間《あいだ》の絵《え》の数《かず》や配置《はいち》がぜんぜんちがいます……。こうすれば、もっといい動《うご》きになるんだ……」

「動《うご》きの「はじまり」と「おわり」の間《あいだ》に、どういうポーズを何枚《なんまい》入《い》れるのかは、とても重要《じゅうよう》なのじゃ。上手《じょうず》に動《うご》く絵《え》を描《か》くためには、ポーズの描《か》き方《かた》やつなげ方《かた》などいろいろな工夫《くふう》が必要《ひつよう》なのじゃ」

お手本《てほん》のループ

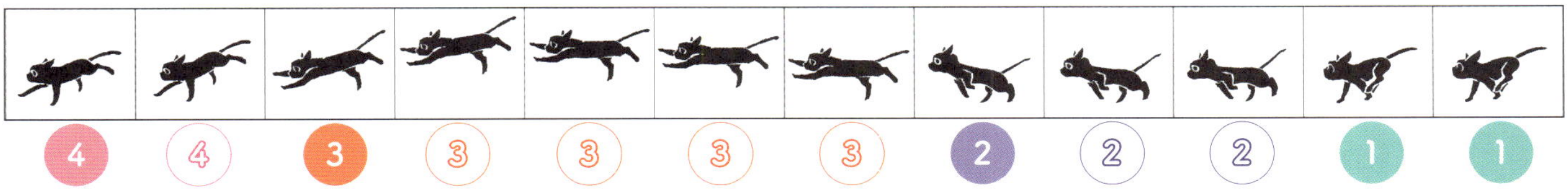

間《あいだ》の絵《え》（②の変形《へんけい》）　間《あいだ》の絵《え》（③の変形《へんけい》）　間《あいだ》の絵《え》（④の変形《へんけい》）

「そうかっ！　頭《あたま》のなかで考《かんが》えているだけじゃなくて、本物《ほんもの》のウサギの動《うご》きをよく観察《かんさつ》して描《か》けばいいんだ！」

「それはすばらしい考《かんが》えじゃ。ウサギをよく観察《かんさつ》してから間《あいだ》の絵《え》を描《か》いてみるといい」

「そうかなぁ……間《あいだ》の絵《え》なんかなくっても楽《たの》しいけどなぁ」

「リョウ君《くん》はほんとうに素早《すばや》い動《うご》きが好《す》きなんじゃな。でも、もしこれが年寄《としよ》りのネコだったらどうするかね？」

「うーん……それならゆっくりの動《うご》きに変《か》えるしかないかも」

「たくさんの枚数《まいすう》を使《つか》うと、動《うご》きはゆったりした感《かん》じになるんじゃよ」

「動《うご》きの間《あいだ》にはさむ絵《え》の数《かず》が増《ふ》えると遅《おそ》くなるんですか？」

「そうじゃ。間《あいだ》にはさむ絵《え》が少《すく》ないほど動《うご》きは速《はや》くなる」

「たくさん絵《え》を描《か》くのたいへんだから、やっぱ遅《おそ》いのはイヤかも」

「なにそれ！　楽《らく》なことばっかり考《かんが》えて！」

「ははは、たしかにいろいろな動《うご》きを絵《え》で描《か》くのはとてもたいへんな仕事《しごと》じゃ。どんなキャラクターが、どんな速《はや》さで、どんな気持《きも》ちで動《うご》いているのかなどを考《かんが》えながら、あらゆるシーンで1枚《まい》1枚《まい》ちがった絵《え》を描《か》いていくのじゃ。なめらかで生《い》きいきとした動《うご》きをつくり出《だ》すには、ほかにもまだまだいろいろなひみつがあるんじゃよ。動《うご》きの種類《しゅるい》はまさに無限《むげん》じゃ。つぎのステージでは、いよいよ本格的《ほんかくてき》なしくみの解説《かいせつ》になるぞ。「分解《ぶんかい》した動《うご》きをどうやったら再生《さいせい》できるのか」のひみつにもせまっていくのじゃ」

「楽《たの》しみです！」

「ねぇ、ケーキとピザはサイセイされないの？」

「しつこいなぁ……だから、たとえ話《ばなし》だけなの！」

「ちぇっ」

「ははは……では、そろそろおやつの時《じ》間《かん》にしようかの」

「やったあ！」

「すみません。さいそくしているようで、

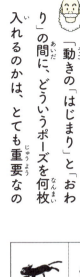

ほんとうにはずかしいです……」

「気《き》にすることはないぞ。でもケーキやピザでなくおせんべいじゃよ。ははは」

「ありがとうございます！」

博士《はかせ》のもう一言《ひとこと》！

アニメーターは動《うご》きを分解《ぶんかい》して描《か》くプロなのじゃ

絵《え》が動《うご》くしくみは「動《うご》きの分《ぶん》解《かい》と再生《さいせい》」なのじゃ。たくさんの絵《え》がいきいきと動《うご》きだすためには、動《うご》きを上手《じょうず》に分解《ぶんかい》して描《か》くことが何《なに》よりも大切《たいせつ》なんじゃ。

しばらく前《まえ》まで、日本《にほん》ではアニメーションは「動《どう》画《が》」と訳《やく》されていた。どうやったら上手《じょうず》に分解《ぶんかい》して「動《うご》く画《え》」を描《か》けるのか。それは、アニメーションの歴史《れきし》がはじまってからずっと最《もっと》も重要《じゅうよう》なテーマじゃったと言《い》っていいかもしれん。実物《じつぶつ》の動《うご》きをよく観察《かんさつ》したり、実写映画《じっしゃえいが》を参考《さんこう》にしたり、ビデオのコマ送《おく》りをコピーして描《か》いたり、実際《じっさい》にはありえないような大袈裟《おおげさ》なポーズをまぜたり、一瞬《いっしゅん》の眼《め》の錯覚《さっかく》を利用《りよう》したり…と、ありとあらゆる方法《ほうほう》が試《ため》され開発《かいはつ》されてきた。いまも世界中《せかいじゅう》の制作者《せいさくしゃ》たちが、「よりよい動《うご》き」を求《もと》めてアニメーションをつくりつづけていると、わしは思《おも》っておる。

アニメーションはとても手間《てま》がかかるので、さまざまな仕事《しごと》に分《わ》かれて集団《しゅうだん》でつくられることが多《おお》い。とくに長編《ちょうへん》アニメーションともなれば、たくさんの人手《ひとで》が必要《ひつよう》じゃ。だから、誰《だれ》がどんな絵《え》を描《か》いたかが肝心《かんじん》なのじゃ。

アニメーション制作《せいさく》の現場《げんば》で動《うご》きのある絵《え》を担当《たんとう》する人《ひと》たちを「アニメーター」と呼《よ》ぶ。アニメーターは、すべての絵《え》を統一《とういつ》・管《かん》理《り》する「作画監督《さくがかんとく》」、動《うご》きの基本《きほん》となる絵《え》を描《か》く「原《げん》画《が》」、間《あいだ》にはさむ絵《え》を描《か》いて全体《ぜんたい》を仕上《しあ》げていく「動画《どうが》」というおもに3つの仕事《しごと》に分《わ》かれておる。「作《さく》画監督《がかんとく》」や「原画《げんが》」の人《ひと》たちは動《うご》きを分解《ぶんかい》して描《か》くプロフェッショナル、「動画《どうが》」はきれいな線《せん》で動《うご》きを仕上《しあ》げるプロフェッショナルなのじゃ。

アニメーターの使《つか》う画材《がざい》は、昔《むかし》は鉛筆《えんぴつ》と色鉛筆《いろえんぴつ》だけじゃったが、いまはパソコンのペンタブレットとペンツールを使《つか》う現場《げんば》も増《ふ》えておる。

一方《いっぽう》、作品《さくひん》の舞台《ぶたい》である背景画《はいけいが》を描《か》く仕《し》事《ごと》は「美術《びじゅつ》」と呼《よ》ばれていて、その担当者《たんとうしゃ》たちは「背景美術家《はいけいびじゅつか》」「背景画家《はいけいがか》」などと呼《よ》ばれており、アニメーターとは区別《くべつ》されておる。背景画《はいけいが》も昔《むかし》はポスターカラーを使《つか》って、絵筆《えふで》やハケやエアブラシなどで画用紙《がようし》に描《か》かれていたが、いまはパソコンソフトを使《つか》った加工《かこう》がかなり多《おお》くなっている。

ひとつの作品《さくひん》をつくるためには、大勢《おおぜい》のアニメーターの力《ちから》が集《あつ》まって何千枚《なんぜんまい》、何万枚《なんまんまい》という気《き》の遠《とお》くなる数《かず》の絵《え》を描《か》いて動《うご》きをつくり出《だ》していく。同時《どうじ》に背景美《はいけいび》術家《じゅつか》たちがすべてのカットの背景《はいけい》を描《か》いて舞台《ぶたい》を仕上《しあ》げる。そうして描《か》かれた絵《え》の束《たば》が、リレーのバトンのようにつながって、ひとつの作品《さくひん》ができあがっていくのじゃ。

また、「人形《にんぎょう》アニメーション」「切《き》り紙《がみ》アニメーション」など、立体《りったい》の人形《にんぎょう》や紙《かみ》に描《か》いて切《き》り抜《ぬ》かれた絵《え》などをほんの少《すこ》しずつ動《うご》かして撮影《さつえい》していく仕事《しごと》を担《にな》う人《ひと》たちも「アニメーター」と呼《よ》ばれているのじゃ。

最近《さいきん》では、インターネットの広《ひろ》がりによって新《あら》たな仕事《しごと》の分担方法《ぶんたんほうほう》が生《う》まれている。言葉《ことば》や国境《こっきょう》の壁《かべ》を越《こ》えて、さまざまな国《くに》の会社《かいしゃ》がひとつの作品《さくひん》のために集《あつ》まり、それぞれのシーンを分担《ぶんたん》してインターネットを通《つう》じて絵《え》を送信《そうしん》し合《あ》い、それらが、制作《せいさく》の中心《ちゅうしん》となる会社《かいしゃ》に集《あつ》められてチェックされて完成《かんせい》する。「合作《がっさく》」と呼《よ》ばれる制作方法《せいさくほうほう》じゃ。まるでむずかしいパズルのようじゃが、この方法《ほうほう》でたくさんの国《くに》の制作《せいさく》者《しゃ》たちがおたがいのよいところを持《も》ちよっていけばまったく新《あたら》しい作品《さくひん》が生《う》まれるかもしれないのじゃ。

上《うえ》の絵《え》は大塚康生《おおつかやすお》さんが昔《むかし》のアニメーションスタジオの様子《ようす》（左《ひだり》）と若《わか》き日《ひ》の宮崎駿監督《みやざきはやおかんとく》（右《みぎ》）を描《か》いたものじゃよ

チャレンジ2

フェナキスティスコープをつくろう！

難易度《なんいど》
☆☆

ここからは工作《こうさく》のページだニャ
①から⑥までの道具《どうぐ》と材料《ざいりょう》を準備《じゅんび》してニャー

①32ページの**型紙《かたがみ》をコピーしたもの**
②**絵《え》を描《か》く道具**（えんぴつ、墨《すみ》や絵《え》の具《ぐ》と筆《ふで》、サインペンなどなんでも自由《じゆう》に描《か》いてみよう）
③コピーした型紙《かたがみ》を貼《は》る**厚紙**《あつがみ》（段《だん》ボール紙《がみ》など）と裏《うら》に貼《は》る**黒《くろ》い紙《かみ》**（色画用紙《いろがようし》の黒《くろ》など）
④型紙《かたがみ》と黒《くろ》い紙《かみ》を厚紙《あつがみ》に貼《は》るための**糊《のり》か両面《りょうめん》テープ**
⑤型紙《かたがみ》と黒《くろ》い紙《かみ》を貼《は》った厚紙《あつがみ》を切《き》り抜《ぬ》くための**カッターやハサミ**
⑥**画鋲《がびょう》・わりばし**（丸棒《まるぼう》でもいいよ）**・セロハンテープ・鏡《かがみ》**

つくる前《まえ》に読《よ》むのじゃ！
ここからのページの注意書《ちゅういが》きじゃぞ

『アニメーションのひみつ　第《だい》2巻《かん》』のマンガはどうじゃったかな？　時代《じだい》が進《すす》むにつれて動《うご》かす絵《え》がどんどん増《ふ》えて、おもちゃも複雑《ふくざつ》なしくみになっていくぞ。それでも、肝心《かんじん》なことはひとつ。「どうやって動《うご》きを分解《ぶんかい》して再生《さいせい》するか」なのじゃ。

さて、第《だい》1巻《かん》のソーマトロープにつづき、第《だい》2巻《かん》ではフェナキスティスコープのつくり方《かた》を伝授《でんじゅ》するぞ。フェナキスティスコープは、描《か》き方《かた》も工作《こうさく》もちょっとむずかしいぞ。ここからのページをしっかり読《よ》んでつくるのじゃ。

・32ページ「型紙《かたがみ》」（何枚《なんまい》かコピーしておくといろんな絵《え》に挑戦《ちょうせん》できる）
・22ページ「いきいきしたアニメをえがこう！」（動《うご》きの分解《ぶんかい》のしかたの基本《きほん》を学《まな》ぶ）
・24ページ「おどろき盤《ばん》をえがこう！」（円盤《えんばん》におさまる12枚《まい》の絵《え》を描《か》く方法《ほうほう》を学《まな》ぶ）
・25ページから27ページ「見本帖《みほんちょう》」（絵《え》を描《か》くときのお手本《てほん》）

「見本帖《みほんちょう》」はアニメーターの人《ひと》たちが型紙《かたがみ》を使《つか》って実際《じっさい》に描《か》いてくれたフェナキスティスコープ（おどろき盤《ばん》）用《よう》の絵《え》じゃよ。このページをコピーしてフェナキスティスコープをつくることもできるぞ。どんなふうに見《み》えるか、いろいろと試《ため》してみると新《あたら》しい絵《え》のアイディアが浮《う》かぶかもしれんのう。

道具《どうぐ》の準備《じゅんび》ができたら、今度《こんど》は28ページからの「つくってあそぼう　フェナキスティスコープ！」をよく読《よ》んで実際《じっさい》につくってみるのじゃ。

いきいきしたアニメをえがこう！

①スピードに合《あ》わせて動《うご》きの幅《はば》を変《か》えてみよう

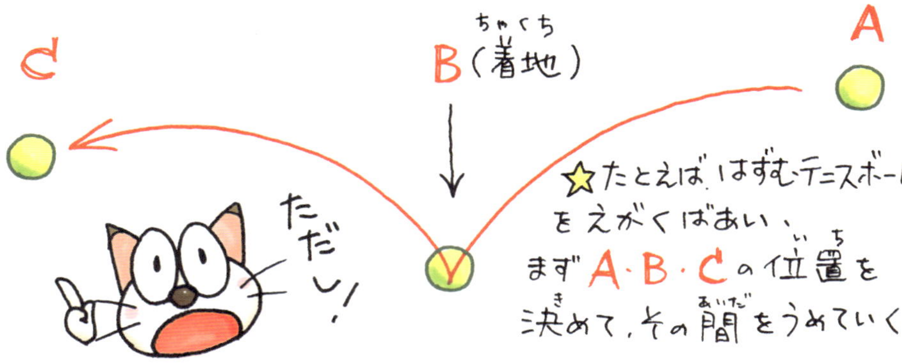

☆たとえば はずむテニスボールをえがくばあい、まずA・B・Cの位置《いち》を決《き》めて、その間《あいだ》をうめていく

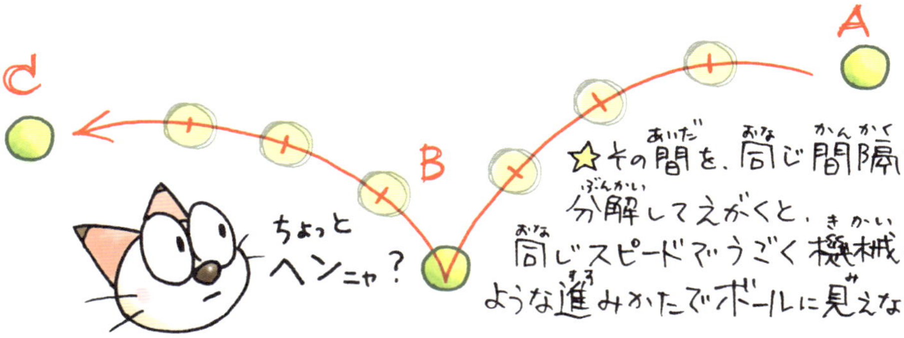

☆その間《あいだ》を、同《おな》じ間隔《かんかく》で分解《ぶんかい》してえがくと、同《おな》じスピードでうごく機械《きかい》のような進《すす》みかたでボールに見《み》えない！

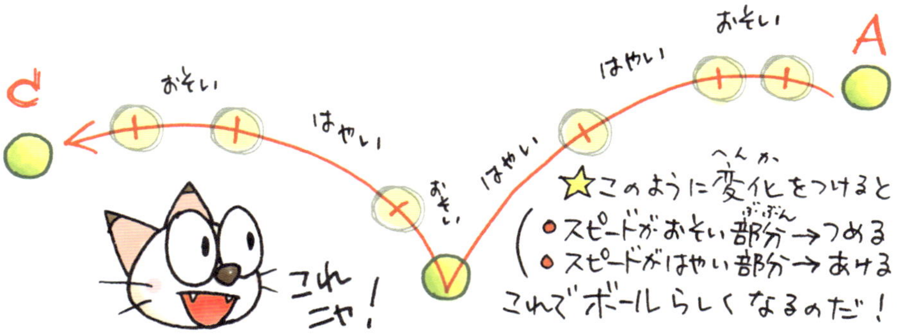

☆このように変化《へんか》をつけると
（・スピードがおそい部分《ぶぶん》→つめる
・スピードがはやい部分→あける）
これでボールらしくなるのだ！！

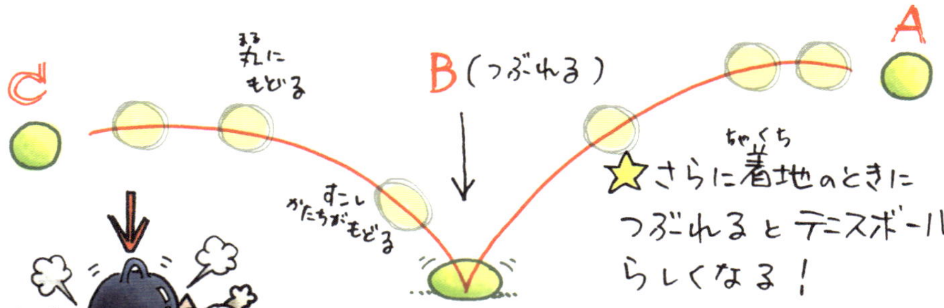

☆さらに着地《ちゃくち》のときにつぶれるとテニスボールらしくなる！

でも重《おも》い鉄《てつ》の玉《たま》なら着地《ちゃくち》してもはずまないし、つぶれない…。

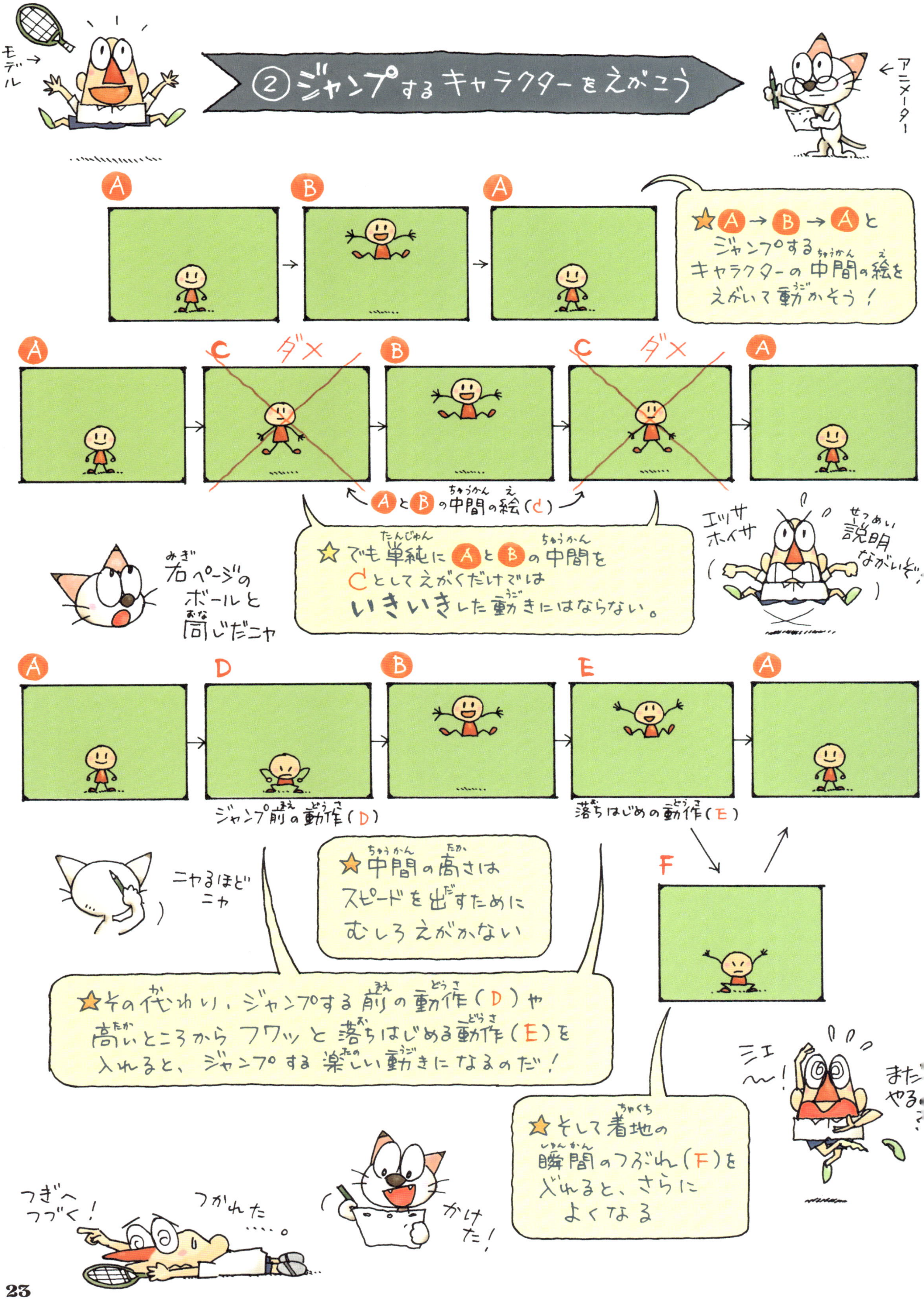

②ジャンプするキャラクターをえがこう
モデル→
←アニメーター
A
B
A
★A→B→Aと
ジャンプする
キャラクターの中間《ちゅうかん》の絵《え》を
えがいて動《うご》かそう！
A
C ダメ
B
C ダメ
A
AとBの中間《ちゅうかん》の絵《え》（C）
★でも単純《たんじゅん》にAとBの中間《ちゅうかん》を
Cとしてえがくだけでは
いきいきした動《うご》きにはならない。
右《みぎ》ページのボールと同《おな》じだニャ
エッサホイサ
説明《せつめい》ながいぞ
A
D
B
E
A
ジャンプ前《まえ》の動作《どうさ》（D）
落《お》ちはじめの動作《どうさ》（E）
F
★中間《ちゅうかん》の高《たか》さは
スピードを出《だ》すために
むしろえがかない
ニャるほどニャ
★その代《か》わり、ジャンプする前《まえ》の動作《どうさ》（D）や
高《たか》いところからフワッと落《お》ちはじめる動作《どうさ》（E）を
入れると、ジャンプする楽《たの》しい動《うご》きになるのだ！
★そして着地《ちゃくち》の
瞬間《しゅんかん》のつぶれ（F）を
入れると、さらに
よくなる
シエ〜！
またやる
つぎへつづく！
つかれた…。
かけた！

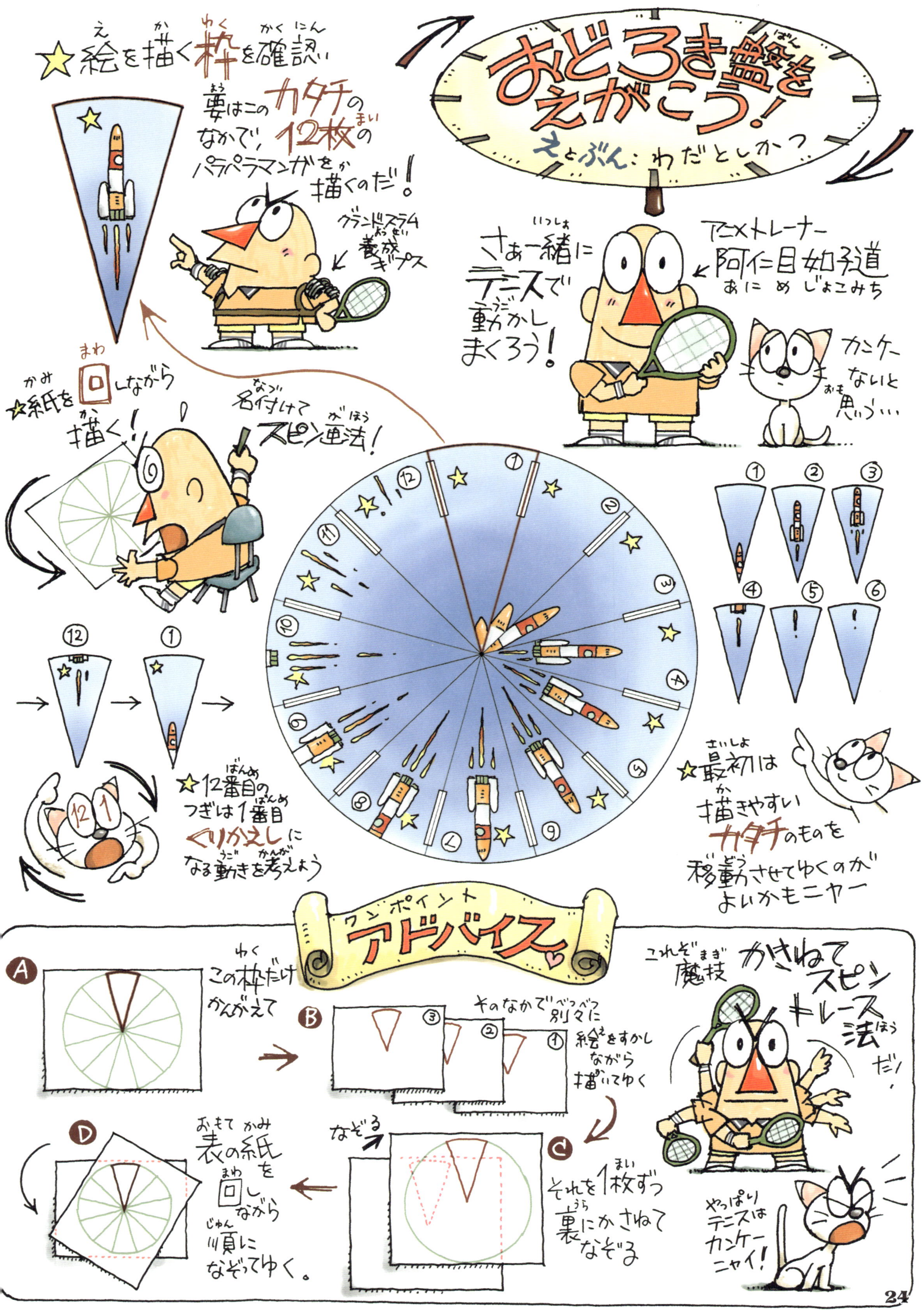

おどろき盤《ばん》をえがこう！
えとぶん：わだとしかつ
★絵《え》を描《か》く枠《わく》を確認《かくにん》
要《よう》はこのカタチのなかで、12枚《まい》のパラパラマンガを描《か》くのだ！
グランドスラム養成《おうせい》ギプス
さぁ一緒《いっしょ》にテニスで動《うご》かしまくろう！
アニメトレーナー
阿仁目如予道《あにめじょこみち》
カンケーないと思《おも》う…
★紙《かみ》を回《まわ》しながら描《か》く！
名付《なづ》けてスピン画法《がほう》！
①
②
③
④
⑤
⑥
⑦
⑧
⑨
⑩
⑪
⑫
★12番目《ばんめ》のつぎは1番目《ばんめ》くりかえしになる動《うご》きを考《かんが》えよう
12
1
★最初《さいしょ》は描《か》きやすいカタチのものを移動《いどう》させてゆくのがよいかもニャー
ワンポイントアドバイス
A
この枠《わく》だけかんがえて
B
そのなかで別々《べつべつ》に絵《え》をすかしながら描《か》いてゆく
C
それを1枚《まい》ずつ裏《うら》にかさねてなぞる
なぞる
D
表《おもて》の紙《かみ》を回《まわ》しながら順《じゅん》になぞってゆく。
これぞ魔技《まぎ》かさねてスピントレース法《ほう》だ！
やっぱりテニスはカンケーニャイ！

このページはコピーしたものを切《き》り抜《ぬ》いて使《つか》うのじゃ

おどろき盤《ばん》（フェナキスティスコープ）画《が》：和田敏克《わだとしかつ》

キリヌキ驚《おどろ》き盤《ばん》見《み》本《ほん》帖《ちょう》ニャ！

フェナキスティスコープ見本帖《みほんちょう》

手《て》つなぎジャンプ編

フェナキスティスコープ画《が》：わたなべさちよ

このページはコピーしたものを切《き》り抜《ぬ》いて使《つか》うのじゃ

フェナキスティスコープ見本帖《みほんちょう》
イモムシ特急編《とっきゅうへん》

このフェナキスティスコープは
右横《みぎよこ》のスリットから見《み》てみよう！

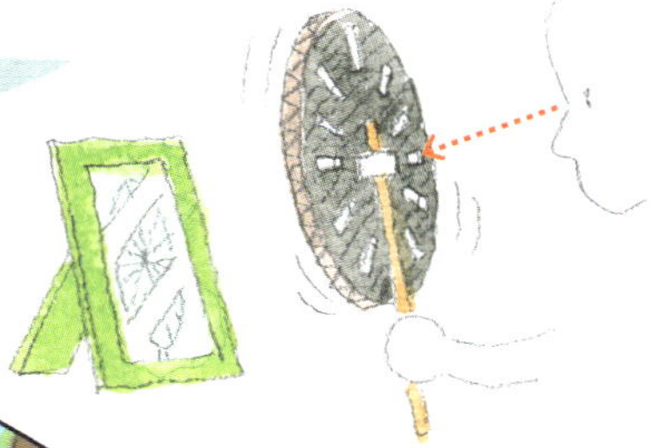

フェナキスティスコープ画《が》：わたなべさちよ

① 32ページの型紙《かたがみ》のコピーに絵《え》を描《か》く
下《した》から光《ひかり》をあてて絵《え》を透《す》かしながら描《か》くといいよ

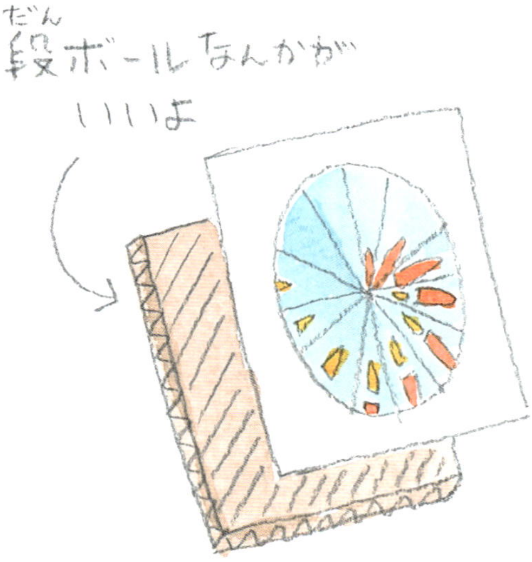

② 完成《かんせい》した絵《え》を厚紙《あつがみ》に貼《は》りつける

→絵《え》を透《す》かして見《み》るコツは
このシリーズ第《だい》1巻《かん》31ページの
「ワンポイントアドバイス」を見《み》てね

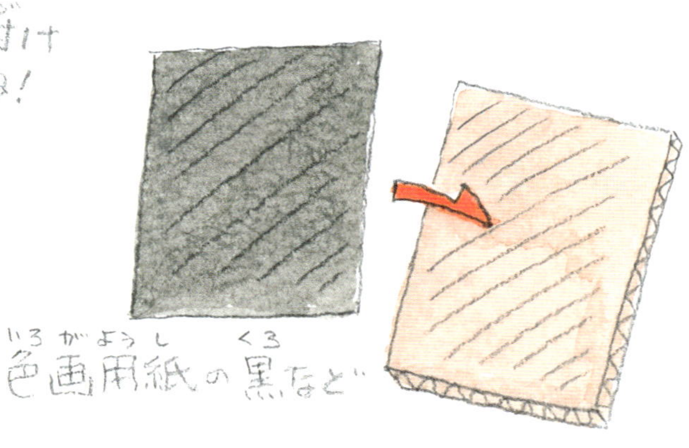

③ 厚紙《あつがみ》の裏《うら》に黒《くろ》い紙《かみ》を貼《は》る

④ カッターでていねいに切《き》り抜《ぬ》く ……12個《こ》のスリット（すきま）もそれぞれ切《き》り抜《ぬ》こう

⑤ 用意《ようい》したわりばし（丸棒《まるぼう》でもいいよ）に
❹で切《き》り抜《ぬ》いた絵《え》の中心点《ちゅうしんてん》から
画鋲《がびょう》をさして固定《こてい》する

⑥ 完成《かんせい》したフェナキスティスコープの絵《え》の面《めん》を
鏡《かがみ》に向《む》けて回《まわ》しながら
黒《くろ》い紙《かみ》の面《めん》のスリット越《ご》しに鏡《かがみ》をのぞくと・・・

⑦ のぞくスリットの位置《いち》や
回《まわ》す速度《そくど》を変《か》えていろいろ試《ため》してみよう

博士《はかせ》のもう一言《ひとこと》！

日本《にほん》では800年前《ねんまえ》からアニメーションがつくられていた?!

日本《にほん》は世界有数《せかいゆうすう》のアニメーション大国《たいこく》と言《い》われておる。おとなも子《こ》どももみんなアニメーションが大好《だいす》きじゃ。じつは、これは最近《さいきん》はじまったことではないのじゃ。日本《にほん》ではずっと昔《むかし》からたくさんの絵《え》をならべてお話《はなし》をつづった作品《さくひん》がつくられていたのじゃ。その原点《げんてん》は12世紀《せいき》・平安時代《へいあんじだい》に描《か》かれたとされるすばらしい絵巻物《えまきもの》の数《かず》かずじゃ。すぐれた絵巻物《えまきもの》には、スピード感《かん》や迫力《はくりょく》を出《だ》すための工夫《くふう》もたくさんほどこされており、楽《たの》しい笑《わら》いや悲《かな》しさやおそろしさがいっぱいにつめこまれているのじゃ。この時代《じだい》に絵《え》で物《もの》語《がたり》を語《かた》った作品《さくひん》は世界《せかい》でも極《きわ》めて珍《めずら》しいそうじゃ。代表的《だいひょうてき》な3つの作品《さくひん》をあげて説明《せつめい》してみよう。

まずは『鳥獣人物戯画《ちょうじゅうじんぶつぎが》（甲巻《こうかん》）』じゃ。カエルやウサギやサルたちが水《みず》あそびや相撲《すもう》や弓《ゆみ》を楽《たの》しむ様子《ようす》が描《か》かれておる。動物《どうぶつ》のキャラクターというと、顔《かお》だけが動物《どうぶつ》で首《くび》から下《した》は人間《にんげん》のままに描《か》かれたものが多《おお》いのじゃが、この

作品《さくひん》の動物《どうぶつ》たちはまったくちがう。どの絵《え》も、まるで本物《ほんもの》の動物《どうぶつ》たちが人間《にんげん》の物《もの》まねをしているようにいきいきと描《か》かれているのじゃ。驚《おどろ》いたことに相撲《すもう》でウサギを投《な》げ飛《と》ばした直後《ちょくご》のカエルの「やぁっ」と聞《き》こえそうな気合《きあい》まで波線《なみせん》で描《か》かれておる。当時《とうじ》もおとなから子《こ》どもまでワクワクしながら読《よ》んでいたのではないかのう。

つぎは『伴大納言絵詞《ばんだいなごんえことば》（伴大納言絵巻《ばんだいなごんえまき》）』じゃ。馬《うま》で駆《か》けつける役人《やくにん》たち、逃《に》げまどう人《ひと》びとという緊迫《きんぱく》した絵《え》ではじまり、つづいて応天門《おうてんもん》の大炎上《だいえんじょう》が現《あら》われる。あわてて走《はし》って逃《に》げる人《ひと》びと、見物人《けんぶつにん》から野次馬《やじうま》まで、ひとりひとりの動作《どうさ》から表情《ひょうじょう》まで細《こま》かく描《か》き分《わ》けられている。思《おも》わず息《いき》を飲《の》むほどの大迫力《だいはくりょく》で、まるでサスペンス映画《えいが》のようなすばらしさじゃ。

最後《さいご》は『信貴山縁起絵巻《しぎさんえんぎえまき》（山崎長者巻《やまざきちょうじゃのまき》）』じゃ。空《そら》高《たか》く飛《と》ぶふしぎな鉢《はち》に導《みちび》かれて倉《くら》やたくさんの米《こめ》俵《だわら》が飛《と》び去《さ》っていく様子《ようす》が、紙《かみ》の上端《じょうたん》まで描《か》かれている。まるでUFOの大群《たいぐん》を目撃《もくげき》した人《ひと》たちのように、驚《おどろ》きながら見上《みあ》げる人《ひと》や動《どう》物《ぶつ》たち、ヘリコプターのように巻《ま》き起《お》こる風《かぜ》であおられる波《なみ》まで描《か》かれておる。まるでSF映画《えいが》の1シーンのようじゃ。

こうした絵巻物《えまきもの》は、手《て》で巻《ま》きながら読《よ》みすすめるため、同《おな》じ人物《じんぶつ》や動物《どうぶつ》が何度《なんど》も描《か》かれておる。これを「異時同図《いじどうず》」と言《い》って、時間《じかん》の経過《けいか》やつながり、旅《たび》による場所《ばしょ》の移動《いどう》などを表《あら》わしているのじゃ。コマ割《わり》の枠線《わくせん》を消《け》した漫《まん》画《が》のようなものと言《い》えるかもしれん。読者《どくしゃ》に「たっぷりの時間《じかん》と空間《くうかん》を感《かん》じさせる」という意味《いみ》ではストーリー漫画《まんが》や映画《えいが》の先祖《せんぞ》という見方《みかた》もできる。

その後《ご》も「絵《え》で物語《ものがたり》を語《かた》る」伝統《でんとう》はとだえることがなく、鎌倉時代《かまくらじだい》から江戸時代《えどじだい》までつづいた短編《たんぺん》集《しゅう》「御伽草子《おとぎぞうし》」、江戸時代《えどじだい》から明治《めいじ》まで人気《にんき》を博《はく》した「草双紙《くさぞうし》」、江戸時代後期《えどじだいこうき》の「浮世絵《うきよえ》」、江戸時代《えどじだい》から現代《げんだい》までつづく1コマや4コマの「風刺漫画《ふうしまんが》」、そして昭和以降《しょうわいこう》の長編《ちょうへん》「ストーリー漫画《まんが》」や「劇画《げきが》」へと、連綿《れんめん》とつづいていったのじゃ。日本《にほん》のアニメーションはいまから約《やく》100年前《ねんまえ》、大正時代《たいしょうじだい》からつくられるようになったのじゃが、はじめは「漫画映画《まんがえいが》」と呼《よ》ばれておったのじゃ。

このように、少《すく》なくとも800年以上前《ねんいじょうまえ》には、「連続《れんぞく》した絵《え》で物語《ものがたり》を語《かた》る」作品《さくひん》が描《か》かれておった。以来《いらい》、さまざまな作品《さくひん》がつくられつづけ、やがて大《おお》勢《ぜい》の人《ひと》たちがそれを楽《たの》しむようになった。どの時代《じだい》の人《ひと》びともわくわくしながら楽《たの》しんだことじゃろう。その流《なが》れは形《かたち》を変《か》えていまもつづいているのじゃ。

この絵《え》は、アニメーターの大塚康生《おおつかやすお》さんが『鳥獣人物戯画《ちょうじゅうじんぶつぎが》』の場面《ばめん》を抜《ぬ》き出《だ》し、組《く》みあわせて描《か》いた線画《せんが》じゃ。オリジナルとはひと味《あじ》ちがった動《うご》きや表情《ひょうじょう》もあり、絵巻物《えまきもの》から抜《ぬ》け出《だ》して動《うご》きだしたような楽《たの》しさにあふれておる。ぜひ実物《じつぶつ》と比較《ひかく》してよく見《み》てほしい。絵巻物《えまきもの》の画像《がぞう》は、インターネットなどでも一部公開《いちぶこうかい》されておる。このページはコピーして色《いろ》を塗《ぬ》ってみてもおもしろいぞ。

このページはコピーしたものを切《き》り抜《ぬ》いて使《つか》うのじゃ
コピーした型紙《かたがみ》を使《つか》って今度《こんど》は自分《じぶん》で絵《え》を描《か》いてみるといいぞ

フェナキスティスコープ型紙《かたがみ》

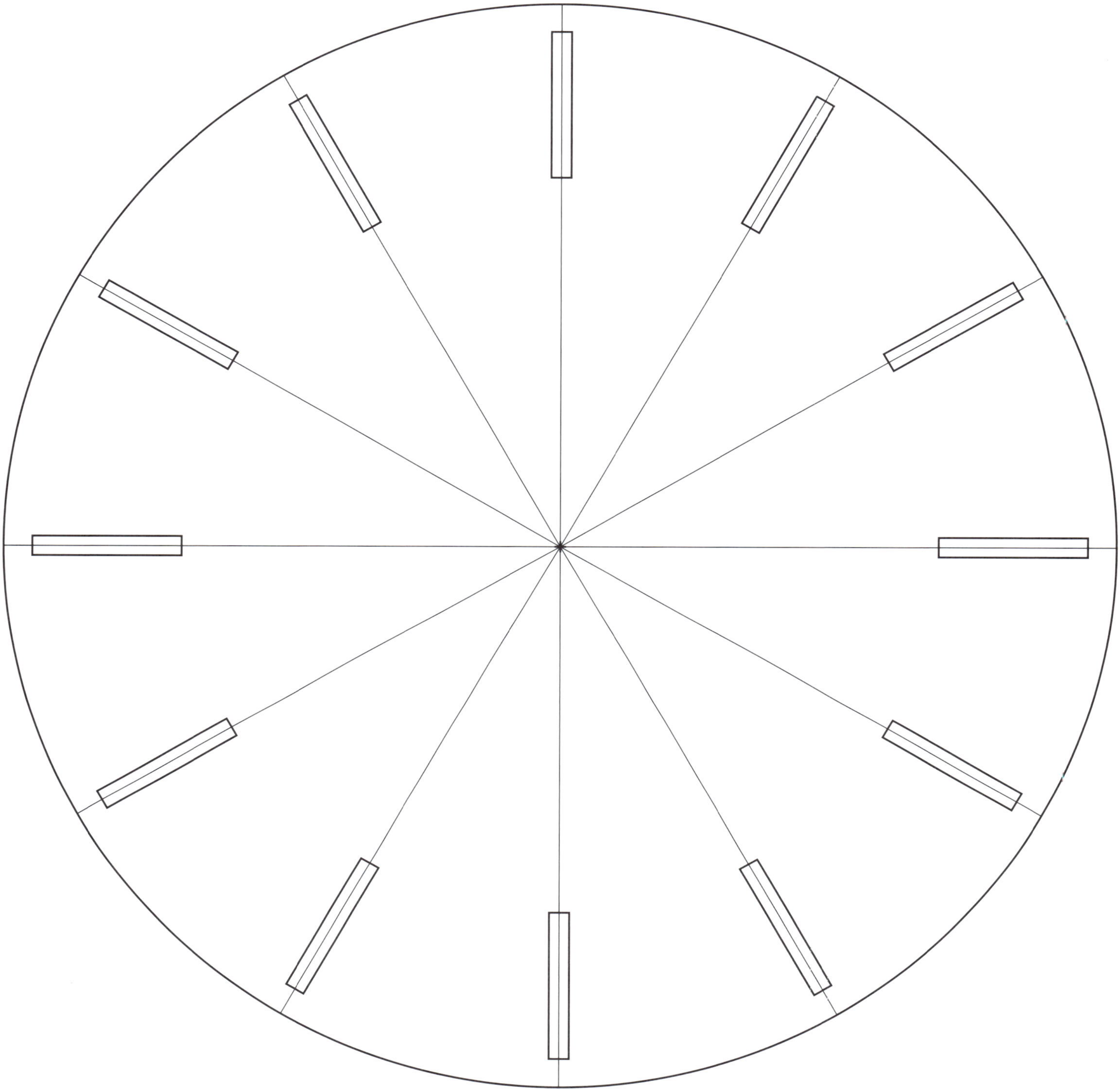

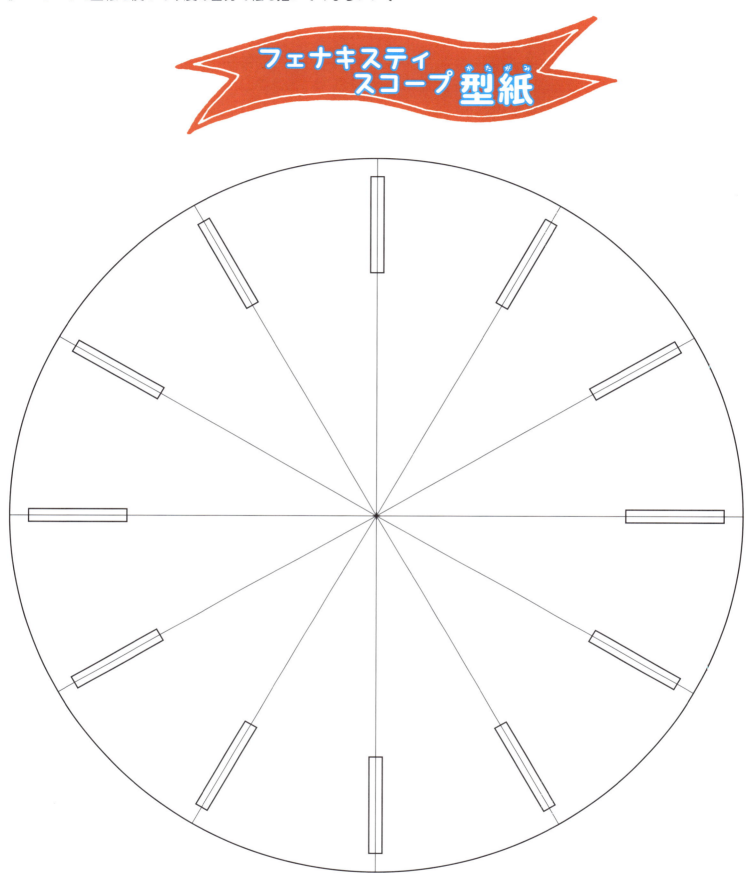

監修

大塚 康生（おおつか　やすお）

1931年生まれ。アニメーター・作画監督。日本初のカラー長編アニメーション映画『白蛇伝』（1958）で動画・原画、『少年猿飛佐助』（1959）・『わんぱく王子の大蛇退治』（1963）などで原画、『太陽の王子 ホルスの大冒険』（1968）で作画監督を務めた。テレビ『ムーミン』（1969）・『ルパン三世』（1971～72）・『未来少年コナン』（1978）、映画『ルパン三世 カリオストロの城』（1979）・『じゃりン子チエ』（1981）などで作画監督を歴任。50年以上にわたり制作スタジオや専門学校で後進の指導を担い、高畑勲、宮崎駿を筆頭に幾多の人材を育成した。おもな著書に『作画汗まみれ』（徳間書店、文春文庫）、『リトル・ニモの野望』（徳間書店）、『ジープが町にやってきた　終戦時14歳の画帖から』（平凡社）『大塚康生の機関車少年だったころ』（クラッセ）、『王と鳥 スタジオジブリの原点』（大月書店、高畑勲・叶精二らと共著）など。

編著

叶 精二（かのう　せいじ）

1965年生まれ。映像研究家。早稲田大学、亜細亜大学、大正大学、東京工学院アニメーション科講師。朝日新聞社「WEBRONZA」などに連載・寄稿多数。「高畑勲・宮崎駿作品研究所」代表。著書に『日本のアニメーションを築いた人々』（若草書房）、『宮崎駿全書』（フィルムアート社）『「アナと雪の女王」の光と影』（七つ森書館）、『王と鳥　スタジオジブリの原点』（大月書店、高畑勲・大塚康生らと共著）など。

漫画

田川 聡一（たがわ　そういち）

1974年生まれ。イラストレーター・挿絵画家。児童書から若者向けまで多彩な絵柄をこなす気鋭の画家。日本イラストレーター協会会員。『サティン・ローブ』（岩崎書店）、『鈴の音は魔法のはじまり』（ポプラ社）、『心にひびくお話　高学年』（学研）ほかのイラスト・挿絵を担当。

ソーマトロープ画

わたなべさちよ（わたなべ　さちよ）

*28-29ページの「つくってあそぼうフェナキスティスコープ！」も担当

1975年生まれ。アニメーター、イラストレーター。おもなアニメーション作品に『からす かぞく編』、クレージーキャッツ＋Yuming『Still Crazy For You』（PV アニメーションディレクター）、『音のおもいで』（NHK ミニミニ映像大賞グランプリ受賞）、『雨の日は、何色？』みんなのうた『しあわせだいふく』など。マンガに『風招き森のクロ』、イラストに NHK ドラマ『四十九日のレシピ』、『ロボット魔法部はじめます』（あかね書房）ほか。

和田 敏克（わだ　としかつ）

*24ページの「おどろき盤をえがこう！」も担当

1966年生まれ。1996年より独自の切紙手法を用いたアニメーション制作を開始。NHK プチプチ・アニメ『ビップとバップ』がフランスのアヌシー等多数の国際アニメーション映画祭に入選、受賞したほか、荒井良二原作『スキマの国のポルタ』では文化庁メディア芸術祭アニメーション部門優秀賞を受賞。日本アニメーション協会常任理事。日本アニメーション学会事務局長。東京造形大学准教授。

上掲図版、叶精二の似顔絵はわたなべさちよ画、他はそれぞれ本人による

17ページイラスト：田中 了
画像スキャニング：朝比秀和

読者対象：小学校高学年～

マンガで探検！　アニメーションのひみつ 2
フェナキスティスコープをつくろう

2017年6月20日　第1刷発行

監修　大塚 康生
編著　叶 精二
漫画　田川 聡一
フェナキスティスコープ画　わたなべさちよ　和田 敏克

発行者　中川 進
発行所　株式会社　大月書店
〒113-0033　東京都文京区本郷 2-27-16
電話（代表）03-3813-4651　FAX 03-3813-4656 ／振替 00130-7-16387
http://www.otsukishoten.co.jp/

印刷　太平印刷社
製本　ブロケード

ISBN 978-4-272-61412-7　C8374　Printed in Japan